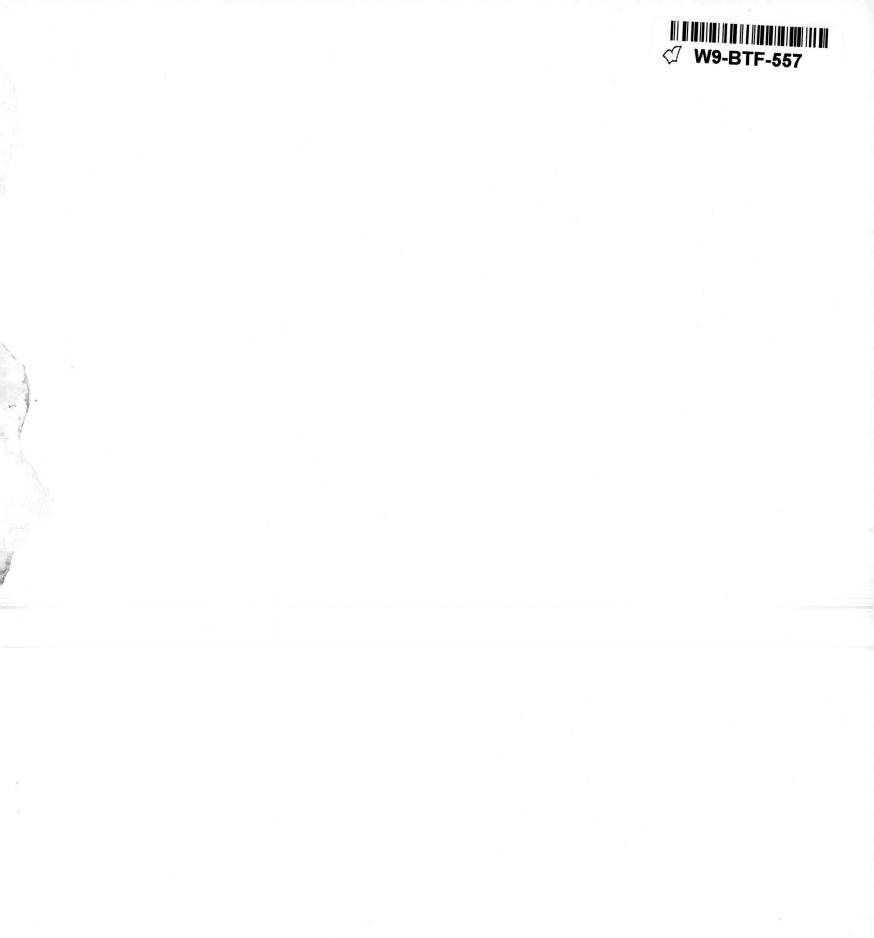

ALFAGUARA

LA ABEJA DE MÁS

D.R. © del texto: ANDRÉS PI ANDREU, 2010
D.R. © de las ilustraciones: KIM AMATE, 2010

D.R. © de esta edición:
Santillana Ediciones Generales, S.A. de C.V., 2010
Av. Río Mixcoac 274, Col. Acacias
03240, México, D.F.

Alfaguara es un sello editorial de **Grupo Santillana**.
Éstas son sus sedes:

ARGENTINA, BOLIVIA, CHILE, COLOMBIA, COSTA RICA, ECUADOR, EL SALVADOR,
ESPAÑA, ESTADOS UNIDOS, GUATEMALA, MÉXICO, PANAMÁ, PARAGUAY, PERÚ,
PUERTO RICO, REPÚBLICA DOMINICANA, URUGUAY Y VENEZUELA.

Primera edición: noviembre de 2010
Primera reimpresión: septiembre de 2011

ISBN: 978-607-11-0823-4

Andrés Pi Andreu · Kim Amate

La Abeja de Más

Un día las abejas se reunieron
en el panal para discutir por qué siempre
trabajaban tan apretujadas
y no tenían espacio ni para jugar
al sudoku, al parchís o a las damas.

Como eran tan organizadas,
escogieron a tres abejas arquitectas
para realizar la investigación.

Las tres abejas trabajaron
día y noche, apretujadas,
pero sin descanso,
durante una semana.

Al final del séptimo día,
pidieron a todas las abejas
que se juntaran en el centro de la colmena
para dar los resultados de su tarea.

SONIDOS
DEL
BOSQUE

"Después de una labor infatigable y tremebunda,
llegamos a la conclusión de que
la cantidad de cuartos para guardar la miel
son los necesarios, pero cuando contamos
los dormitorios llegamos a una preocupante,
misteriosa, y escalofriante conclusión...

TIRAR DE LA
ANILLA EN CASO
DE DISCURSO
POCO
CONVINCENTE

Aquí la abeja arquitecta principal
hizo una pausa teatral, puso cara
de abeja sumamente aterrorizada
y soltó casi gritando de histeria:

¡¡¡HAY UNA ABEJA DE MÁS EN ESTA COLMENA!!!

Se hizo un silencio grande, grandísimo.
No se oía ni un zumbidito,
ni una gota de miel caer.

"¡Una abeja de más!"
murmuraron algunas,
mirándose, incrédulas.

ACCESO AÉREO.

人を日本語読み

"Una abeja extranjera",
dijeron otras.

"Una abeja
inmigrante",
añadieron
otras tantas.

PLAZA DORADA

ENTRADA PEATONAL

"Esa abeja de más se está comiendo nuestra miel" dijo una abeja gorda.

NO PASAR

"Y seguro duerme por ahí, en cualquier parte, sucia y sin bañarse todo el día", dijo otra.

"¿Y quién es esa abeja", gritaron todas enfadadas, "que nos está quitando el espacio?

"Quién sabe si no viene de un panal más pequeño o si trae enfermedades", dijo un zángano.

"A lo mejor quiere quitarme mi trabajo en la fábrica de cera", dijo una abeja obrera.

"¿Quién es esa abeja?",
volvieron a gritar todas.
"¡Que se identifique!"
Pero la abeja de más no apareció.

La abeja matemática propuso
ponerle un número a cada abeja,
pero a nadie le gustó la idea de ser la última.

ABEJA
NACIDA EN
COLMENA
FEDERAL
¡CERTIFICADO!

LA LEY DE LA ABEJA
SERIA Y FORMAL

La abeja abogada propuso confeccionar pasaportes y certificados de nacimientos.

Hubo hasta algunas que apreciaron la idea
de una abeja lingüista de escuchar el zumbido
de todas las abejas del panal para detectar
a la abeja de más por su acento extranjero;
pero todas las abejas zumbaban de distinta manera.

Ya la jalea iba creciendo y creciendo
y aquello parecía un avispero
cuando la abeja reina, intervino.

"A ver, amigas, ciudadanas abejas
¿no todas tenemos antenas?"

"Sí, todas tenemos antenas".

"Y, ¿no todas tenemos
rayitas amarillas y negras
en la barriga?"

"Sí",

respondió el coro, otra vez.

NUNCA ESTARÁS
DE MÁS
SI TRABAJAS
COMO LAS DEMÁS

YO SOY
LA COLMENA

LA COLMENA
SOY YO

"Entonces, queridas abejas",
concluyó la reina,
"¿no será, más bien,
que falta un dormitorio
en el panal?"

"Síííí",

respondieron todas las abejas alegremente,
y emprendieron la tarea de construir
un lindo dormitorio de cera
para la abeja de más.

Andrés Pi Andreu

Nací en la Habana, Cuba, en 1969 y cuando era chamaco
quería ser astronauta y escritor.
Con el paso de los años, pude lograr las dos cosas,
pues a través de mis cuentos puedo viajar a los lugares
más fantásticos. Mi obra ha sido reconocida con varios premios,
como el Premio Planeta de Albúm ilustrado Apel les mestres,
el Premio de la crítica La rosa Blanca y dos
veces el Premio Nacional de Literatura infantil de Cuba.
Pero el mejor premio de todos es cuando un niño me
dice que le gustó un cuento mío.

6

Kim Amate

¿Sabéis que en 1974 Terrassa era una ciudad gris e industrial?
Pues ahí nací. En esa época, además, la tele sólo tenía dos canales en blanco y negro
y eso fue una suerte, porque así me atraían más los libros con fotografías y
dibujos en color. Me gustaba copiar y calcar, y de esa manera estropeé
bastantes páginas, pero era pequeño... Ahora, para saldar mi deuda no me
queda más remedio que publicar unos cuantos libros ¡y sin copiar ni calcar!
Pues eso, de momento, con mi amigo Andrés ya llevamos dos...

Este libro se terminó de imprimir
en los talleres de Edamsa Impresiones, S.A. de C.V.,
con domicilio en Av. Hidalgo No. 111,
Col. Fraccionamiento San Nicolás Tolentino,
C.P. 09850, México, D.F.,
El mes de Septiembre de 2011